W9-BLI-487

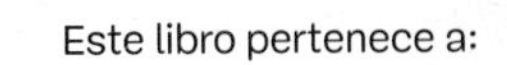

Quipu

Dedico esta obra a mi familia virtual y al gran hombre que por poco tiempo fue un gran abuelo. Abuelo Ari, gracias por los recuerdos a tu lado, buscando tus anteojos y jugando a los robots. Nos veremos nuevamente.

"El gran secreto de la vida es morir joven, lo más tarde posible."
Dr. Lair Ribeiro

©
Vovô é um super-Herói
Saber e Ler, 2016.
Mi abuelo es un superhéroe
Quipu, 2017.
Primera Edición en Argentina.
©
Texto: Fernando Aguzzoli
Ilustraciones: Juan Chavetta

D.R. © para Quipu, 2016
José Bonifacio 2434, Buenos Aires
Tel - Fax: +54 (11) 4612-3440
info@quipu.com.ar
www.quipu.com.ar
@quipulibros
/QuipuLibros
D.R. © Saber e Ler, 2016.

Traducción del original en portugués:
Glosa Idiomas

Dirección de arte: Macaita
Edición: Grupo Editorial Quipu
Diseño Gráfico:
Marulina Acunzo

Aguzzoli, Fernando
Mi abuelo es un superhéroe / Fernando Aguzzoli; ilustrado por Juan Chavetta.
- 1a ed . - Ciudad Autónoma de Buenos Aires : Quipu, 2017.
36 p. : il. ; 22 x 24 cm. - (Libro álbum)

Traducción de: Glosa Idiomas
ISBN 978-987-504-186-8 (Rústica)
ISBN 978-987-504-203-2 (Cartoné)

1. Literatura Infantil y Juvenil. 2. Cuentos de Aventuras. I. Chavetta, Juan , ilus. II. Título.
CDD 863.9282

Hecho el depósito
que marca la ley 11.723
Libro de edición argentina
Printed in Argentina

Impreso en Triñanes Gráfica S.A.
Charlone 971, Avellaneda, Buenos Aires, Argentina.
En el mes de abril de 2017.

MI ABUELO ES UN SUPERHÉROE

· FERNANDO AGUZZOLI · JUAN CHAVETTA ·

Todo el mundo tiene abuelos. Bueno, tengo un amigo que tiene dos y otro que no tiene ninguno.
Yo tengo un abuelo... ¡y él es increíble! Es muy, muy, muy viejo (o yo soy muy joven), y vive conmigo y con mis papás.

Mi abuelo no es como los abuelos de mis amigos, ni se parece al viejito de la panadería ni al que vende globos en mi calle.
Creo, incluso, que es un secreto o, tal vez, no lo sea más.
Los adultos creen que soy muy chiquito para saber, pero yo estoy seguro: **mi abuelo es un superhéroe.**

Cuando yo era muy chico, mi abuelo adoraba contar historias sobre cuando fue a luchar a la guerra.
Yo no entendía mucho, pero sabía que él había vencido a muchos hombres malos.
Me di cuenta de que era un superhéroe un día en que yo jugaba a la pelota y se me voló por encima de la cerca. La pelota fue a parar al jardín del vecino.
Entonces, recordé que mi papá siempre me decía: “El hombre de la casa de al lado es un monstruo muy malhumorado. Si tu pelota cae allá, él no te la va a devolver. Cuidado".

Pero, ¡adivinen qué! Llegó mi abuelo se colocó su chaleco marrón de lana, se puso los anteojos -él casi siempre se inclinaba para verme por sobre los lentes- y atravesó el jardín, hasta el portón de la casa del vecino.

Yo esperé allí parado hasta que volviera.
Si el vecino era realmente un monstruo no lo sé,
¡pero mi abuelo estaba ahí, de vuelta, con la pelota!

Pero un día, mi abuelo hizo una tontería muy grande.
Por lo menos eso creo yo. Escuché a mamá gritando:
–Papá, ¡olvidaste la olla sobre la hornalla prendida de nuevo!
Casi se prende fuego la cocina. ¡No puedes hacer
una cosa así! -dijo ella, furiosa.

El abuelo me vio espiando por la puerta de la sala y, cuando pasó por al lado mío, susurró:

–Eh, pst... ¿escuchaste todo?

–Sí -dije yo, avergonzado.

–¿Entonces sabes lo que eso significa?

–No, abuelo.

–Es el polvo del hada. ¡Tenemos que encontrarla! -dijo él, mirando para todos lados frunciendo la frente.

–¿Las hadas no son buenas, abuelo? -pregunté.

–No todas. Esta no lo es. Ella vuela sobre tu cabeza y tira un polvo casi invisible. Es muy difícil ver al hada del olvido.

–¿Y qué pasa después de que ella tira el polvo?

–¡Uno se olvida de las cosas! ¿No viste cómo olvidé la olla sobre la hornalla? ¿Vamos a buscarla?

Yo acepté, mientras el abuelo me tomaba de la mano. Entonces salimos volando por las montañas, detrás del hada del olvido.

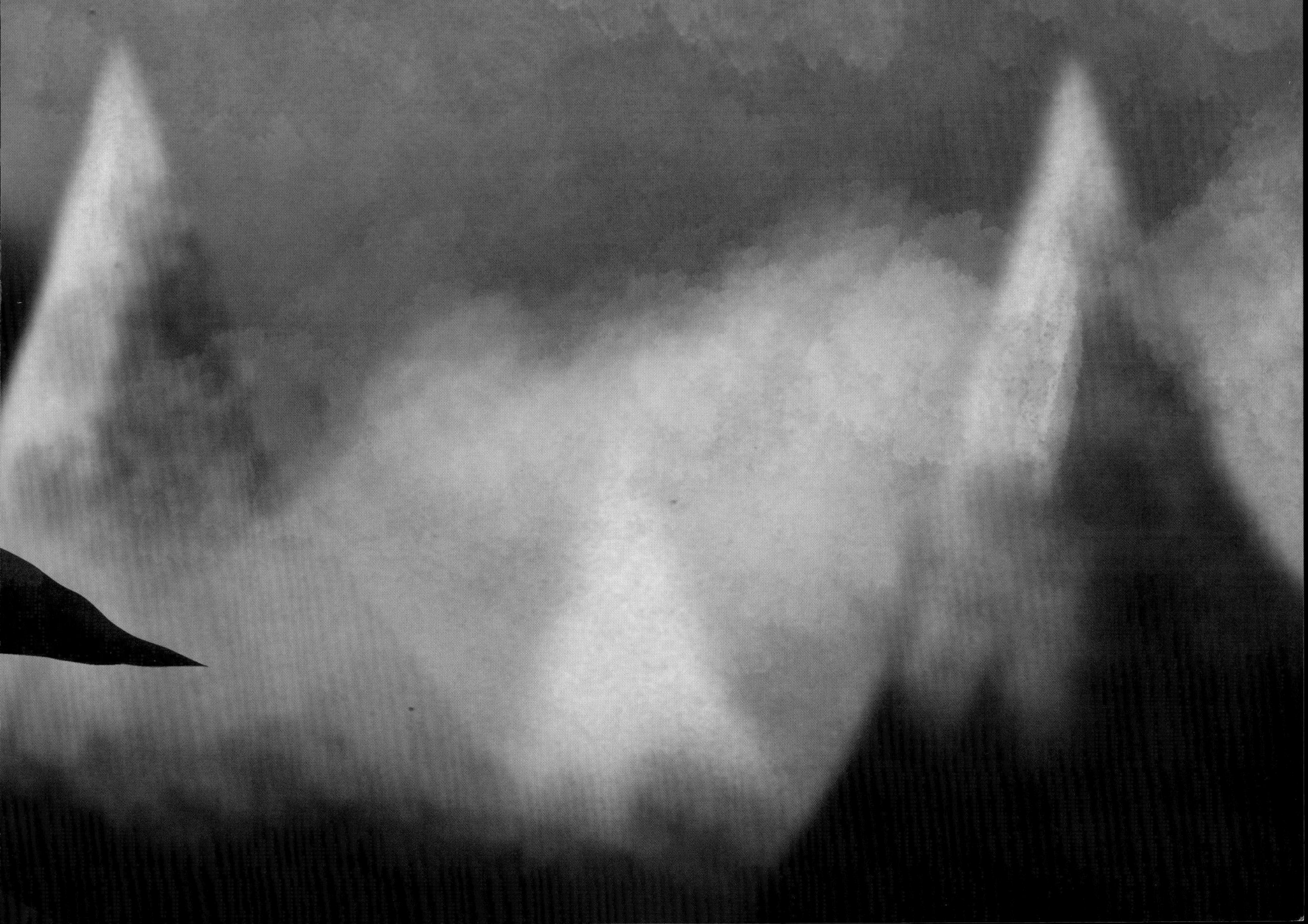

Después de mucho buscar, regresamos a casa.
–Espera, ¿qué es eso volando sobre tu cabeza?
Tan pronto como miré hacia arriba, el abuelo gritó:
–Aquí, ¡la atrapé!
–¿Dónde, abuelo?
–Se escapó de mis manos, ¡voló para aquel lado!
Necesitamos un vaso. Es la única forma de detenerla.
Corrí como el viento hasta la cocina. Creo que en menos de un segundo ya estaba de vuelta.
–Aquí está el vaso.
–Esperemos un segundo... Un poco más... Un poco más... -decía él, mientras miraba para arriba y movía la cabeza de un lado para otro-. **¡LISTO, AQUÍ ESTÁ, ATRAPAMOS AL HADA!**

Y ahí estaba ella, bien chiquitita, atrapada dentro del vaso, volando de un lado para el otro. Entonces, nos tiramos exhaustos en el sofá, todavía vestidos de superhéroes.

Otro día pasé por el cuarto del abuelo y él estaba muy agitado, abriendo todos los cajones y los armarios, hasta que abrió la ventana, buscando algo en el bosque.

–¡Pero qué cosa! Estaba seguro de que estaba aquí en algún lugar...

Entonces me vio y enseguida me dijo:

–Mi joven ayudante, te necesito. No sé dónde puse mis anteojos, ¿los has visto?

Yo dije que no.

El abuelo entonces levantó su dedo y puso cara de espanto.

–Ya sé lo que está pasando, mi joven compañero. **¡Es el duende juguetón!**

–Será de tu altura, pero tiene una barba blanca bien larga, usa una galera verde con hebilla, medias rayadas y unos zapatos curiosos -me explicó, mientras buscábamos por cavernas, cuevas de dragones y hasta debajo de una cascada-. ¡Es muy experto y debe saber que estamos aquí! Él revuelve tu cabeza para que pienses que perdiste un collar, un zapato o una media, pero, en verdad, esconde todo en otro sitio. ¿Y quieres saber? Estoy seguro de que él trajo algunas cosas a esta caverna oscura y maloliente. ¡Quién sabe si no dejó mis anteojos acá!

Los buscamos por algún tiempo y después volvimos a casa. Allá, encontramos un cordón, algunas monedas, llaves, muchas hojas con palabras difíciles, y hasta una banana.
—¡Mira ahí! -dijo el abuelo, apuntando algo sobre la mesa de luz-. ¡Son mis anteojos!
Entonces, el duende apareció frente a nosotros con mirada de horror. Yo salté encima de él y el abuelo vino corriendo con el cordón que habíamos encontrado.
Amarramos al duende juguetón y recuperamos los anteojos del abuelo.

Pero cierta vez, me levanté de la cama a la noche para ir al baño y
escuché a mis padres conversando.
Mi mamá estaba llorando y parecía preocupada.
–Él está muy enfermo. El médico dijo que tiene Alzheimer.
Eso no es nada bueno... -dijo ella.
Yo volví a la cama y me quedé pensando qué monstruo sería
ese tal Alzheimer... Por la forma en que mamá hablaba,
sería muy difícil vencerlo.

A la mañana siguiente le di un regalo al abuelo.
–¿Qué es esto, mi fiel ayudante? -preguntó él.
–Somos nosotros, abuelo. Y este es Alzheimer.
–¿De dónde sacaste ese nombre?
–Escuché a mamá diciendo que tenías Alzheimer.
¿Él es muy malo, abuelo?
El abuelo fue hasta el espejo y se quedó mirando.
Vi que respiró profundo, dio la vuelta y vino en dirección hacia mí.
–Eso significa que el abuelo va a olvidar muchas cosas de ahora en adelante.
Voy a necesitar que me prometas una cosa desde lo más profundo de tu corazón.
Moví la cabeza diciendo que sí.
—Si un día llego a olvidarte, vos no te vas a olvidar de mí.
Me abrazó muy, muy, muy fuerte y me dio un beso en la frente
antes de decirme:
–¿Vamos a jugar?

Hasta el día de hoy mantengo mi promesa, abuelo.

FERNANDO AGUZZOLI

Es nativo de Porto Alegre, periodista y estudiante de Filosofía en la UFRGS (Universidad Federal de Río Grande do Sul). En 2014 lanzó *Quem, eu?*, su primer llibro contando su experiencia al lado de Nilva, su amada abuela y mejor amiga, diagnosticada con Alzheimer.
Hoy Fernando se dedica a diversos proyectos dirigidos a familiares y ancianos con mal de Alzheimer.

JUAN CHAVETTA

Nací en Zárate, soy ilustrador y Diseñador gráfico. He publicado mis trabajos en revistas como *PIN*, *El Gourmet* y *Caras y Caretas*; y creado diseños tanto para marcas deportivas como obras de teatro infantil. También participo en eventos culturales y educativos del país.
El resfrío del Yeti, *Cerebro de Monstruo*, *El ladrón de sombras* y *La increíble familia de Camilo, el niño que se aburría* son algunos de los libros que tuve el placer de ilustrar para QUIPU. Con ellos también he publicado *Puro Pelo 2*, *El Sr. Cuco* y *Puro Pelo* y las historietas de *Puro Pelo*, con guion de Fabián Sevilla, libros en los que aparece el personaje más querido por todos, Puro Pelo, junto a sus amigos. Pelito ya tiene más de 870 mil seguidores en *Facebook* ¡y sigue sumando fanáticos! ¡Muchas gracias a tuttis por seguirnos!